LAS REGLAS PARA EL PERRO

LAS REGLAS PARA EL PERRO

Coco La Rue
ilustrado por Kyla May

Scholastic Inc.
New York Toronto London Auckland
Sydney Mexico City New Delhi Hong Kong

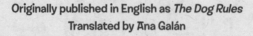

Originally published in English as *The Dog Rules*
Translated by Ana Galán

ISBN 978-0-545-45810-8

12 11 10 9 8 7 6 5 4 3 2 1   12 13 14 15 16 17/0

Printed in the U.S.A.   40
First Spanish printing, September 2012

Book design by Jennifer Rinaldi Windau

A Cow, Cleveland,
Hazel y Horacio,
todos ellos unos gatos increíbles.*
— C.L.R.

A Jaida, Kiara y Mikka
(mis tres hermosas niñas).
Las quiero un montón.
♥ Mamá xxx
— K.M.

* Por supuesto, serían más fabulosos si fueran pájaros, pero voy a
dejarlo pasar porque se trata de unos grandes campeones.

CONTENIDO

* Es fundamental que leas el informe. Si no lo haces, este libro se evaporará y/o explotará. Bueno, no. Pero hazme el favor y léelo de todas formas. ¿Por fa?

INFORME

A: Los lectores de este libro*
ASUNTO: Información confidencial

Este cuestionario es muy importante para determinar si puedes leer las páginas que aparecen a continuación.

1. ¿Eres humano?
    A) ¡Sí!
    B) ¡Guau!
    C) ¿Qué me llamaste, tonto?

2. ¿Sabes leer?
    A) ¡Sí!
    B)
    C) ¿Cómo? ¡Si fui yo quien inventó el idioma español, rufián!

3. ¿Te gustan los gatos o prefieres los perros?
    A) ¡Sí!
    B) ¡Los perros son los mejores!
    C) Eso es muy personal, gracias.

4. ¿Sigues las reglas o te las saltas?
    A) ¡Sí!
    B) ¿Las saltas es un tipo de postre?
    C) ¿Cómo te atreves a insultarme así? ¡Atrevido!

Si contestaste a casi todo con la letra:

    A) ¡Fantástico! Lee este libro. Después pídele a tu maestro o maestra que lo lea en clase. Después pídele al gobierno que apruebe una ley para que toda la gente de EE. UU. lea este libro todos los días.

    B) ¡Ay! Date un baño de pulgas. Después lee este libro.

    C) ¿Por qué estás tan enojado? Este libro hará que te enojes más. Léelo bajo tu propio riesgo. Estás avisado.

---

* Ese o esa eres tú.

Capítulo 1

Te presento a la familia Calleja

Querido lector, me llamo Coco La Rue. En estas páginas oirás hablar de un perro chucho monstruoso llamado **Monty**. Me entran escalofríos con solo pronunciar su nombre.

Monty es propiedad de una especie de humanos bastante decente pero con un gran defecto: dejan que ese chucho se salga siempre con la suya. Mi objetivo aquí es simple: conseguir que el gran humano peludo haga desaparecer a **Monty** de una vez por todas para que yo pueda vivir en paz como se merece un pájaro de mi categoría.

¿Quiénes son los Calleja? Deja que te los presente...

Este es el gran humano peludo. El bajito lo llama "papá". La mujer bella lo llama "amorcito". Las Panteras lo llaman **"ENTRENADOR"**.

NOMBRE:
ENTRENADOR HÉCTOR CALLEJA

TAMAÑO: GRANDE, MUY GRANDE, ¡LO SUFICIENTEMENTE GRANDE PARA HACER DESAPARECER A LA BESTIA!

JUGADAS PREFERIDAS: EL BOMBARDEO Y EL ATAQUE AL QUARTERBACK

LE MOLESTA: QUEDARSE SIN PASTEL DE CARNE

MIEMBRO DE: CLUB DEL ZAPATO DEPORTIVO SEMANAL

Ah, Aurora, la mujer bella. Se pasa el día cantando. ¡Somos aves de un mismo plumaje!

NOMBRE:
Dra. Aurora Calleja

COLOR DE PELO: rojo escarlata, como un lindo cardenal

INGREDIENTE PREFERIDO DE PIZZA: rúcula y alcachofas

TALENTO: memoria perfecta para las películas de acción

MIEMBRO DE: Meditación para Todos

El pequeño humano. Es demasiado bueno con ese perro malcriado.

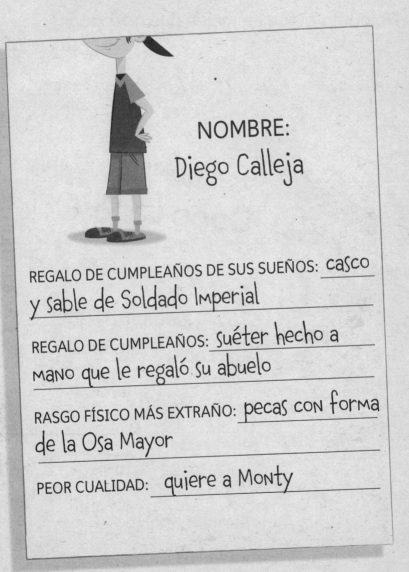

NOMBRE:
Diego Calleja

REGALO DE CUMPLEAÑOS DE SUS SUEÑOS: casco y sable de Soldado Imperial

REGALO DE CUMPLEAÑOS: suéter hecho a mano que le regaló su abuelo

RASGO FÍSICO MÁS EXTRAÑO: pecas con forma de la Osa Mayor

PEOR CUALIDAD: quiere a Monty

Yo ya me presenté. Pero déjame añadir que soy extremadamente refinada y talentosa. No como otros animales que conozco.

NOMBRE:

Coco La Rue

LE MOLESTA: el desorden, los perros chuchos y el mal comportamiento

PASATIEMPOS: pelear, cantar y hacer Sudokus

COMIDA PREFERIDA: salsa de mango

MIEMBRO DE: Asociación Oficial de Pájaros Inteligentes

Monty es una criatura odiosa. Es un perro sucio, tonto y sin ninguna gracia. Y, francamente, huele mal.

NOMBRE:
Monty Calleja

FECHA DE NACIMIENTO: _el Día de los Inocentes_

PARTE PREFERIDA PARA QUE LE RASQUEN: _empieza con TRA y termina con SERO_

COLOR DEL PELAJE: _amarillo mostaza, gris de restos de sacapuntas o arándano*_

MIEMBRO DE: _Sociedad de los Babosos_

*Depende de lo que haya en el cubo de la basura.

JUEGO DE NOMBRES

Diego pensó en el nombre perfecto para Monty durante mucho tiempo. ¿Qué habría pasado si a Monty lo hubieran llamado de otra manera?

COMANDANTE

Milton Jefferson Harrison III

JUSTIN TIMBERCHUCHO

Chadwick

BOND.
FidO BOND.

Estimado lector, mira esta horrible foto de la familia casi perfecta de los Calleja.

Ahora pon el dedo pulgar o dos monedas de un centavo o un pepinillo en salmuera sobre esa espantosa criatura. Y mira el resultado: ¡una foto lindísima!

Yo.
Haré.
Que.
Este.
Chucho.
Desaparezca.

Espera y verás.

Lo que te quiero pedir, queridísimo lector, es lo siguiente: escucha mi historia y si piensas como yo, firma la petición que hay en la parte de atrás de este libro, haz que 1.400 de tus amigos hagan lo mismo y envía todas las firmas a:

Campaña
¡Que desaparezca el chucho!

atención a la familia casi perfecta de los Calleja.*

---

* Está bien, en este libro no hay ninguna petición. Pero podrías hacer una, ¿no crees? ¿Lo harías por mí? ¿Por fa?

CÓMO ELEGIR UN NOMBRE PARA TU MASCOTA

Por favor, cuando pienses en nombres, ten en cuenta que algo que puede sonar muy bien en la privacidad de tu hogar, puede sonar horriblemente mal si lo gritas en un callejón oscuro.*

Hagas lo que hagas, nunca llames a tu mascota:

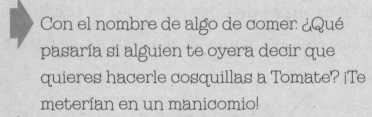 Con el nombre de algo de comer. ¿Qué pasaría si alguien te oyera decir que quieres hacerle cosquillas a Tomate? ¡Te meterían en un manicomio!

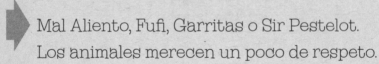 Mal Aliento, Fufi, Garritas o Sir Pestelot. Los animales merecen un poco de respeto.

Cualquier cosa que suene a "No", "Quieto", "Siéntate", "Túmbate", "Ven" o "Atrápalo". No confundas al pobre animal, ¿de acuerdo?

* El autor de este libro no te recomienda que entres en un callejón oscuro a no ser que vayas acompañado de un batallón de niños de kindergarten disfrazados de abejas. Con todos esos niños de cinco años correteando por ahí, no te puede pasar nada malo.

Capítulo 2

Las reglas se cumplen

¡REGLAS!

Mi campaña para la Desaparición Total y Absoluta del Perro va por buen camino, gracias a las meteduras de pata de este chucho bobo. ¡Es que es incapaz de portarse bien!

—¡Ay, Monty! ¡Si me sigues atacando con esas bombas fétidas nunca encontraré mi anillo de casada!

—Moléstame en mi santuario todo lo que quieras, ingrato ignorante. Esto lo pagarás muy caro.

—¡OYE! ¿QUÉ HACES? ¡QUITA TUS PATAZAS DE MI TORTILLA DE CARNE!

Y cuando Monty no se porta bien, el peludo se pone hecho una fiera.

¡Mira como se pone el entrenador! ¡Ya no lo puede aguantar más!

Queridísimo lector, durante mi estancia en la casa de la familia casi perfecta de los Calleja he aprendido mucho sobre los humanos.

Por ejemplo, a los humanos grandes y peludos les encantan las reglas. Y a los humanos con silbatos colgados al cuello les encantan los números. Por lo tanto, a **los humanos grandes que llevan silbatos, ¡les encantan las reglas con números!**

El entrenador tiene reglas para casi todo.

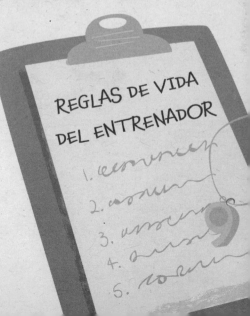

REGLAS DE VIDA DEL ENTRENADOR

1.
2.
3.
4.
5.

REGLAS DE VIDA DEL ENTRENADOR*

1. ¡VÍSTETE PARA IMPRESIONAR!

El entrenador dice: "¿Llevas ropa cómoda? ¿Llevas en tu camiseta el nombre de un equipo respetable? ¿Llevas las medias por encima de los gemelos? ¡Compruébalo! ¡Uno! ¡Dos! ¡Tres!".

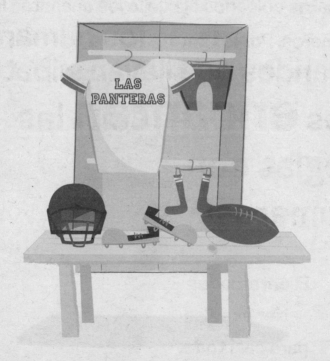

LAS PANTERAS

* Estos son pequeños ejemplos de lo que piensa la mente retorcida del hombre que tiene el futuro de Monty en la palma de sus sudorosas manos.

2. ¡TERMINA EL TRABAJO!

El entrenador dice: "¡No abandones a tu equipo!
¡No te abandones a ti mismo! ¡Y nunca dejes que te
abandone el desodorante!".

3. ¡LA UNIÓN DE LA FAMILIA ES ESENCIAL!

El entrenador dice: "¡Familia Calleja unida! Cuando diga
uno, pedalea. Cuando diga dos, muestra el amor por
tu familia. ¡Uno, dos! ¡Uno, dos!".

Sí, al entrenador le encantan las reglas. Le gustan tanto como...

la miel a las abejas...

la jalea a la mantequilla...

LOS perros a las pulgas...

LAS MEDIAS A LAS SECADORAS.

El peludo tiene reglas exclusivas para Monty.

Regla Nro. 1: NO TE COMPORTES COMO UN PERRO.

Regla Nro. 2: LOS PANTALONES DE GIMNASIA SON PARA VESTIRSE, NO PARA COMER.

Regla Nro. 3: NO TE COMAS EL PASTEL DE CARNE DEL ENTRENADOR.

Regla Nro. 4: EL SOFÁ NO ES PARA PERROS.

Regla Nro. 5: SI NO TE LLAMAS "BASURA" NO TE METAS EN EL CUBO.

Regla Nro. 6: DON FAMOSO* NO ES UN JUGUETE.

El perro tonto de Diego no podría obedecer estas reglas ni aunque su vida dependiera de ello...

¡Y depende de ello!

* Lo conocerás más adelante.

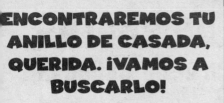

ENCONTRAREMOS TU ANILLO DE CASADA, QUERIDA. ¡VAMOS A BUSCARLO!

Excelente idea, amorcito. Diego, ¿podrías por favor apagar el horno en 20 minutos y sacar el pastel de carne?

¡Mamá! ¡No lo llames amorcito!

¡Ha llegado el momento de poner mi plan en acción!

CUANDO NO SE CUMPLEN LAS REGLAS
O LO QUE ENFURECE AL ENTRENADOR

DELINCUENTE: Miembro de Las Panteras

DELITO: Llegar tarde a los entrenamientos

CASTIGO: Correr con el uniforme completo

DELINCUENTE: Miembro de la familia Calleja

DELITO: Discutir durante la cena

CASTIGO: Más besos y abrazos

DELINCUENTE: Monty

DELITO: Prácticamente todo*

CASTIGO: Si mi plan funciona, ¡DESAPARICIÓN!

* Incluyendo el volverse loco a la hora de pasear, la falta de educación total en la mesa y la obsesión poco sana por el atuendo deportivo.

NO TE COMPORTES COMO UN PERRO

¡Monty, por favor, pórtate bien!

Si no lo haces, te meteremos en la cárcel para perros.

Sí, claro.

¡Encierra al chucho!

¡O al reformatorio para perros!

¡O te enviaremos a la Luna!

A donde van los **lunáticos.**

A lo mejor el ejército lo pone a raya.

¡El humano bajito es tan buena gente!
Pero no debería perder el tiempo intentando
que ese perro loco se porte bien.

¡Eso es imposible!

¿Conseguir que Monty se comporte?

¡Ja!

Al pequeño humano le resultaría más fácil enseñarle al Sol a no ponerse. **¡A ese saco de pulgas no hay quien lo adiestre!** Lo ha intentado toda la familia, pero es imposible.

No pueden dejar la comida sin vigilar.

Nunca necesitan un despertador.

Ni siquiera pueden caminar descalzos por su propio jardín.

Tampoco pueden mencionar el apellido
Calleja porque cuando
alguien lo hace...

Monty piensa que es la hora de ir a la CALLE
y sale disparado por la puerta...

Y se va a visitar a la linda perrita pomerania que vive calle abajo.

Como a Monty no se le ocurre ir a ningún otro lugar, uno de los humanos siempre lo encuentra y lo arrastra de vuelta a casa.

Qué lástima.

Observa y verás qué fácil es hacer que Monty rompa UNA de las reglas del entrenador.

Ahí va otra vez. Este chucho está hecho para romper las reglas.

Muy pronto los Calleja necesitarán
una nueva mascota.
A la hora de elegir una mascota, siempre
debes tener en cuenta los consejos
imparciales de mi tía abuela Mimí:
¡NUNCA TENGAS UN PERRO!
¿Por qué?, te preguntarás...

1. Los loros saben
conversar.

2. Los loros
son más
elegantes.

3. Los loros saben hacer mejores trucos.

Sin embargo, si te **empeñas** en tener un perro, debes buscar las siguientes cualidades:

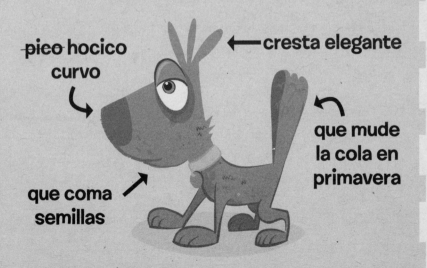

~~pico~~ hocico curvo

←cresta elegante

que mude la cola en primavera

que coma semillas

CÓMO ENCONTRAR LA MASCOTA PERFECTA

Para los humanos bien educados, el loro es la mascota perfecta. Pero a lo mejor tú eres otro tipo de humano. Responde este cuestionario para descubrir qué tipo de mascota es la mejor para ti.

1. Te gustan los muebles:
   A) limpios y relucientes como el día en que los compraste.
   B) empapados de saliva y babas.
   C) llenos de arañazos.

2. Te gusta que las mascotas:
   A) puedan mantener una buena conversación.
   B) muerdan tus pantuflas preferidas.
   C) te ignoren.

3. Te gusta que la comida de tus mascotas huela:
   A) a fruta fresca y nueces.
   B) a la basura del vecino.
   C) a pescado podrido.

Si contestaste a casi todo con la letra:

A) Justo lo que me imaginaba. Eres muy listo. ¡Cómprate un loro y sabrás lo que es vivir una vida maravillosa!

B) ¿Es que no has prestado atención? ¡Los perros son criaturas horribles!

C) Tenemos un grave problema. Deberías volver a hacer el cuestionario, ¡por lo visto te gustan los gatos!

LOS PANTALONES DE GIMNASIA SON PARA VESTIRSE, NO PARA COMER

Conseguir que Monty rompa la Regla Nro. 2 no va a
ser difícil. Cuando las criaturas normales ven una
media vieja y apestosa, les parece que es... una
media vieja y apestosa.

Pero a este chucho, no. Enséñale a Monty una
media apestosa y le parecerá que es un delicioso
trozo de **queso**.

Para este bobo, un ropero lleno de vestidos de seda y suéteres de lana es como una **mesa llena de comida.**

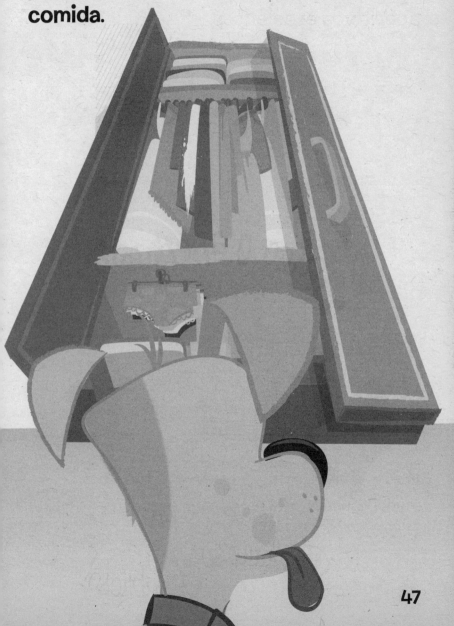

La mente retorcida de Monty ve
las camisetas y los pantalones como
aperitivos excelentes.

¡Rico y apetitoso!

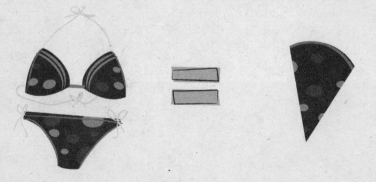

¡Delicioso y sabroso!

¡Almibarado y dulce!

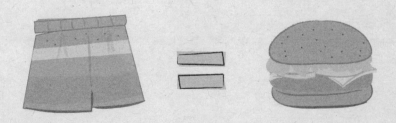

¡Tentador y exquisito!

¿Por qué mi camiseta tiene más agujeros para los brazos?

¡Mi vestido preferido, no!

¡A ESA MÁQUINA DE COMER MÁS LE VALE NO HABERSE TRAGADO MIS PANTALONES DE GIMNASIA!

Ninguna prenda de ropa está a salvo de este perro.

¡Míralos!

La familia casi perfecta de los Calleja está hecha harapos. Nada puede detener a este canino hambriento.

Monty se come las partes traseras de los pantalones, los lazos de los vestidos y los talones de las medias.

Pero peor que los agujeros son las babas.

Rastros
pegajosos
y repulsivos

Babas
con olor
a cloaca

Manchas
radioactivas

La familia Calleja lo ha intentado **todo** para que Monty no se coma su ropa.

Pero no temas, Monty. Tu querida tía Coco está aquí para ayudarte.* Casualmente tengo una llave del candado.

Hoy en el menú tenemos un plato delicioso de...

* Ayudarlo a desaparecer para siempre, claro.

PANTALONES DE GIMNASIA SUCIOS Y APESTOSOS

Bon appétit!*

* Que en francés quiere decir: "¡buen provecho!". Disfruta
mientras puedas, Monty. ¡Puede ser tu última comida!

Solo hay una cosa que a Monty le gusta más que los pantalones de gimnasia...

NO TE COMAS EL PASTEL DE CARNE DEL ENTRENADOR

¿Te acuerdas de lo mucho que le gustan las reglas al entrenador? Duplica esa cantidad, elévala al cuadrado, suma tu edad y el resultado será solo la mitad de lo que le gusta al entrenador el pastel de carne.

Tiene una colección de libros sobre la historia del pastel de carne...

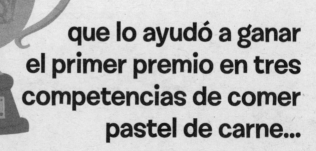

que lo ayudó a ganar el primer premio en tres competencias de comer pastel de carne...

que celebró con un viaje al Museo del Arte del Pastel de Carne...

que lo inspiró a inventar el Agua de Colonia de Pastel de Carne.*

* De venta exclusiva en la carnicería de tío Marty.

¡DING!

Vamos a hacer un trato, Monty. Si no te comes el plato que más le gusta a mi papá, te rasco la barriga durante diez minutos.

¿Oíste eso? Ya verás, la atractiva oferta de Diego no será suficiente para que el valioso pastel de carne del entrenador esté a salvo. Monty ya quebró las primeras dos reglas. Y como dice el entrenador:

-LA TERCERA ES LA VENCIDA.

Siguiente paso:

¡CÁRCEL DE PERROS!

Y creo que una vez más puedo ayudar... ¡Voy a distraer a Diego para que Monty se lleve el pastel de carne!

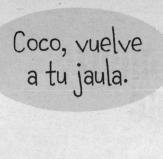

Coco, vuelve a tu jaula.

¡Eso es, Diego! ¡Dale la espalda a la cena de tu papá!

COSAS QUE MONTY NO COME

Hielo
Se le congela el cerebro y se pone de mal humor.

Pintura
No ha conseguido averiguar cómo quitar las tapas.

Comida de perro
Demasiado fácil. Necesita la emoción de la caza.

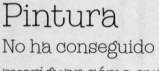

COSAS QUE A MONTY LE ENCANTA COMER

Su peso en tocino

¡Por favor, tocino blando o crujiente!

Licuado de pantalones de gimnasia

Con un poquito de sudor para dar sabor.

Cierta lora confiada

Viene con su propio aderezo especial.

COSAS QUE MONTY HA COMIDO

78 centavos
Las monedas le dieron indigestión.

Una lagartija no muy rápida
¡Le hacía cosquillas!

¡Un delicioso pastel de carne recién salido del horno!

¿HUELES ESO? SIENTO UN HORMIGUEO EN LA NARIZ. ES EL DULCE AROMA DE MI PASTEL, QUE AHORA SE HA MEZCLADO CON UN OLOR A... ¿¡¿BABAS?!?

¡Guau!

¡Je je je!
¡Jo jo jo!

Mi cumpleaños es dentro de unos meses, pero creo que voy a recibir un regalo en cualquier momento. ¡Mi plan funcionó a la perfección! Debería escribir un libro.* Lo llamaría *Cómo hacer desaparecer a un perro chucho sin cerebro en tres simples pasos.*

¡Mamá! ¡Lo encontré!

Humm. Diego suena demasiado feliz para alguien que está a punto de perder a su chucho.

¿Por qué no está llorando desconsoladamente?

* ¡Los loros del mundo entero me lo agradecerían!

¡El anillo perdido de Aurora!

¡Ese perro tonto lo encontró enterrado en el pastel de carne! ¡Ahora los humanos pensarán que ese perro inútil sirve para algo!

¡Así se hace, Monty!

¡Mi anillo! ¡Se me debió caer cuando estaba preparando la cena!

PERRO, ¡BIEN HECHO! PERO LA PRÓXIMA VEZ QUE TOQUES MI PASTEL DE CARNE, ¡TE LARGAS DE AQUÍ!

¡Ay, qué día tan horrible!

Estaba tan cerca de deshacerme de ese perro pesado y fracasé miserablemente.

¿Cómo voy a superarlo?

Aguanta un poco. Puede que él haya ganado esta batalla, pero tú ganarás la guerra.

EL SOFÁ NO ES PARA PERROS

Devoto lector, hemos sufrido una derrota. ¡Pero no temas! Estoy llena de inspiración mientras que Monty está lleno de carne molida. Lo que le da sueño.

Mucho sueño.

Y cuando esta fea criatura tiene sueño, va directo a...

¡el sofá!

A Monty le han prohibido subirse al sofá por el resto de su vida. Pero no puede evitar convertir el rincón preferido del entrenador en un centro de desorden total. Tira los almohadones. Bota las mantas. Todo esto mientras se acomoda para dormir una gran siesta.

¡Mi predicción es que a Monty se lo van a llevar esposado muy pronto!

Amable lector, ¿ves las indignidades que tengo que sufrir? Sus horribles ronquidos interrumpen mis pensamientos.

¡Y los humanos no hacen **nada!**

A lo mejor sus babas los vuelven impotentes.

Necesitan de mi cerebro privilegiado para liberarlos de esta prisión canina.

z z z Z Z z z z z z

Disfruta de dulces sueños por ahora, sabueso espantoso. Pronto dormirás afuera, en la caseta del perro, para siempre.

MONTY SUEÑA CON...

perseguir
conejitos...

cenas
románticas
para dos...

boxear con el gato peludo,
Don Famoso.

COCO SUEÑA CON...

comprarle a Monty un pasaje en primera con destino desconocido...

echar a Monty de la casa...

enviar a Monty a la cárcel de perros.

Se acabó la siesta, bobo. Es hora de mostrarles a los humanos lo que has hecho.

Eso es, zoquete. Persígueme. Destroza la casa. Te estás portando muy bien...

si quieres

desaparecer,

claro.

En cinco minutos, la casa estará hecha un desastre, el entrenador estará furioso y Monty, ese chucho miserable, se irá de una vez.

¿DIEGO?
¿QUÉ ES ESE RUIDO?
SI ESE PERRO ESTÁ CAUSANDO PROBLEMAS,
MÁS LE VALE IR
EMPACANDO SUS
VALIJAS.

¡Guau!

SI NO TE LLAMAS "BASURA" NO TE METAS EN EL CUBO

Lector leal, ¿no es emocionante todo esto?

Mientras **Diego** intenta convencer al peludo de que **todo está bien**, Monty, el granuja, ¡está **destruyendo** la casa!

¿Por qué será que los perros devoran la basura? ¿Será que les gusta el sabor de las papas mohosas y los tomates podridos? ¿Por qué será que no se pueden resistir a una lata de inmundicia? ¿Les atrae el delicado aroma a leche agria y pañuelos usados?

Seguro que la ciencia tiene alguna **explicación**.

Lo cierto es que...

¡NO ME IMPORTA!

Lo único que me importa es que ese montón de basura apestosa va a **convertirse** en el pasaje sin regreso de Monty a la **Tierra de Nadie.***

* Espero que me envíe una postal cuando llegue. Necesito un piso nuevo para mi jaula.

¿Qué ha hecho?

Déjame contar los desastres...

Nro. 1 Cafetera contaminada

Nro. 2 Gavetas desordenadas

Nro. 3 Cazuela vertida

Nro. 4 Comida de perro desparramada

Diego no será capaz de arreglar este desastre antes de que lo vea el entrenador. Y eso significa... ¡buen viaje, **bobo!**

Nro. 7 Flores caídas

Nro. 6 Basura tumbada

Nro. 5 Horno abierto-

Nro. 8 Taburete derribado

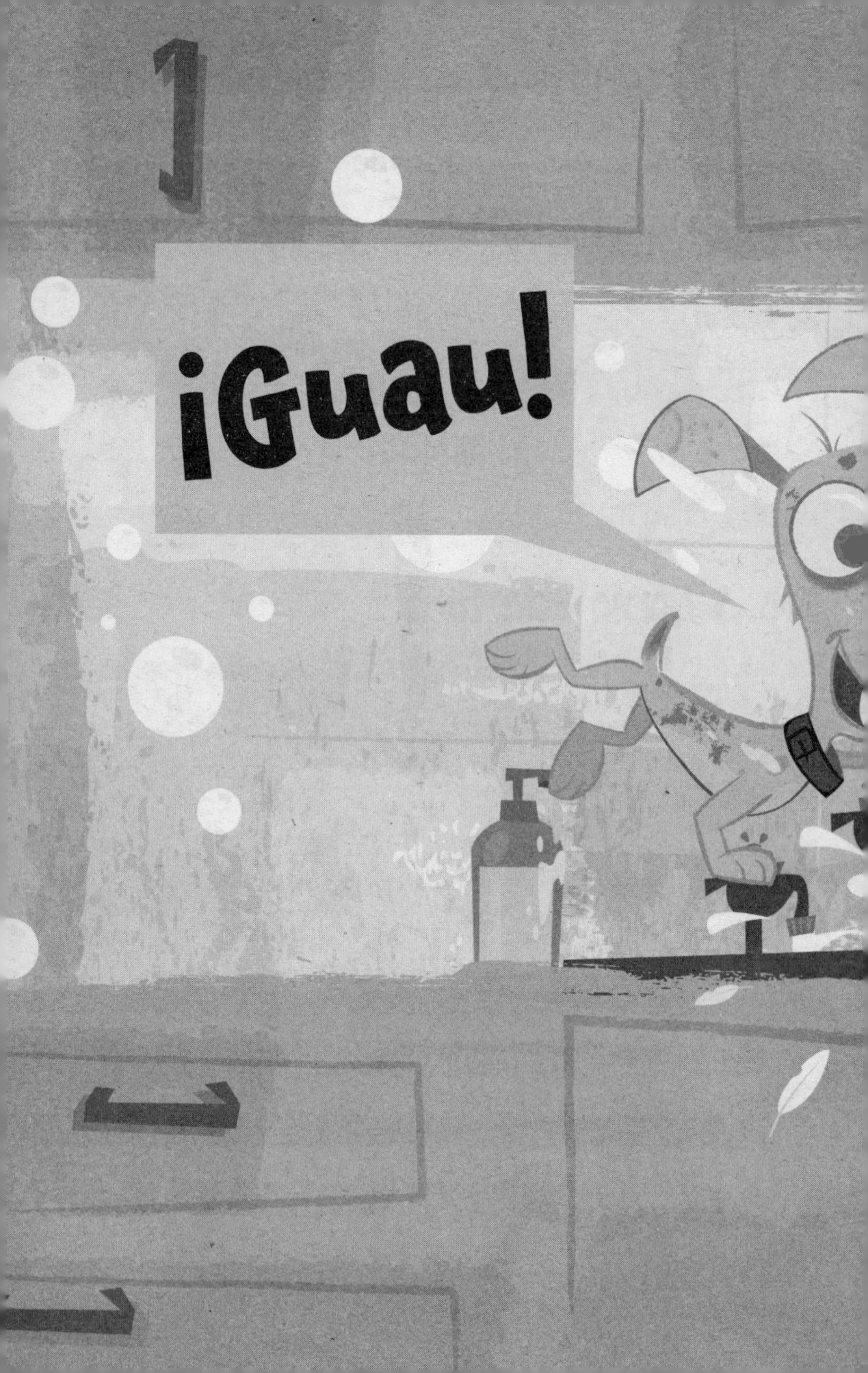
¡Guau!

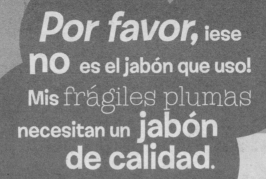

Por favor, ¡ese **no** es el jabón que uso! Mis frágiles plumas necesitan un **jabón de calidad.**

Monty, **concéntrate** en desordenarlo todo. No es momento de **andar** patinando por el piso de la cocina.

¡Cielos!
Tus juegos con el jabón están limpiando este desastre.

¡Echa mi plan a perder y te haré **probar mis garras, Aliento Apestoso!**

95

¡Por fin ha llegado la hora del chucho! ¡Un día feliz! El pequeño humano nunca podrá explicar este espantoso desastre.

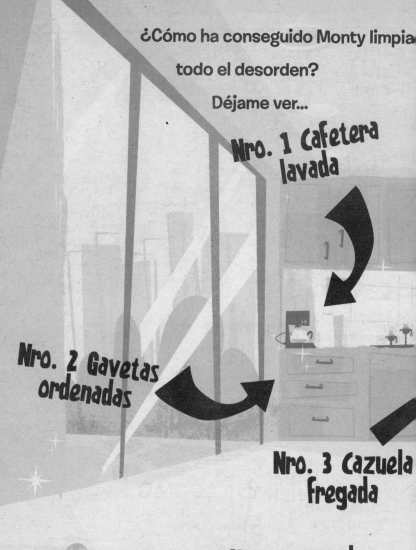

¿Cómo ha conseguido Monty limpia
todo el desorden?

Déjame ver...

**Nro. 1 Cafetera
lavada**

**Nro. 2 Gavetas
ordenadas**

**Nro. 3 Cazuela
fregada**

**Nro. 4 Comida
de perro en
su lugar**

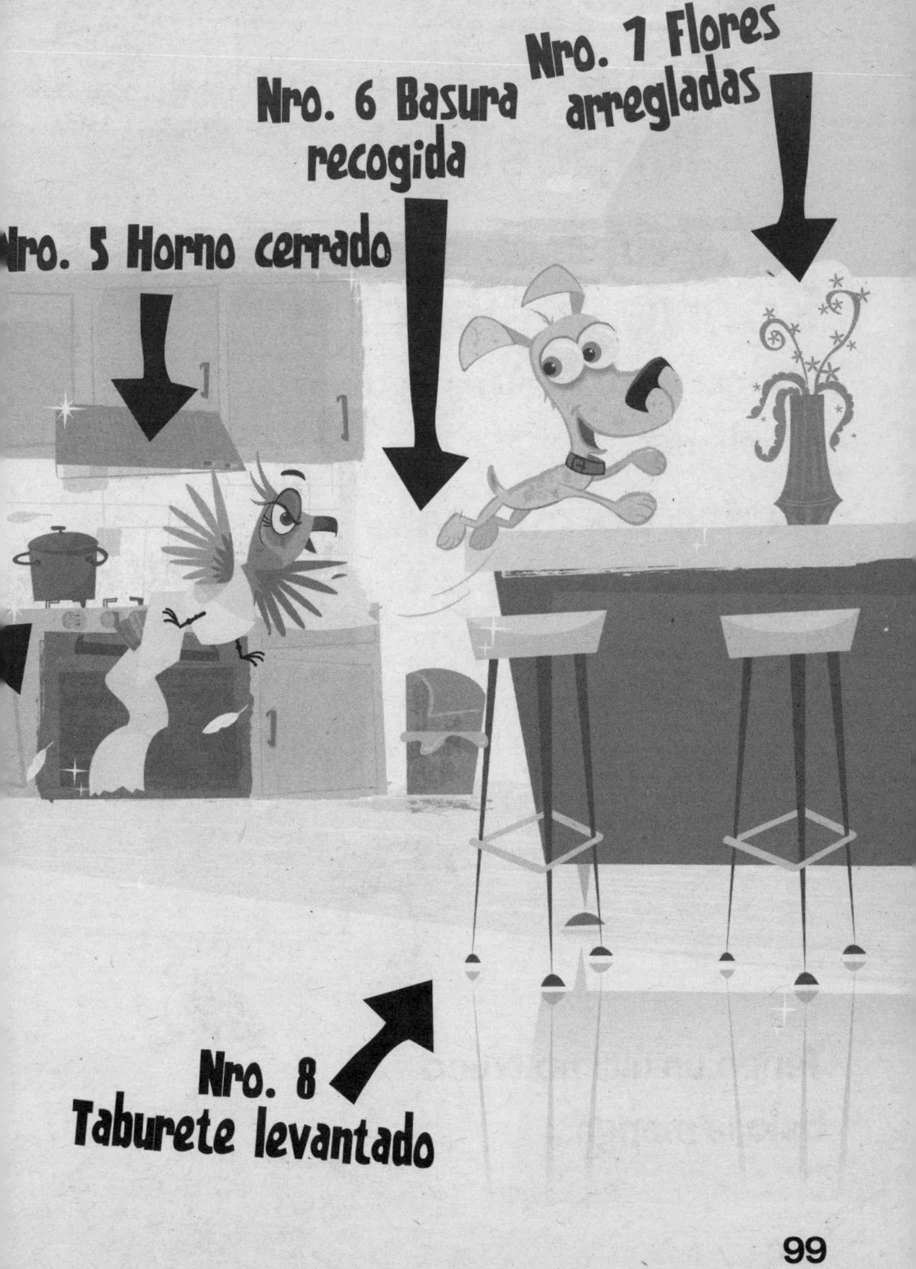

Nro. 5 Horno cerrado

Nro. 6 Basura recogida

Nro. 7 Flores arregladas

Nro. 8 Taburete levantado

¿Qué?
¿Cómo?
¡Imposible!

Sonríe, malandrín.
Disfruta de tu pequeña victoria por ahora.

Pienso borrar esa
sonrisa tonta
de tu cara.

Tengo un último truco bajo la manga...

DON FAMOSO NO ES UN JUGUETE

Hábil lector, deja que tus ojos disfruten de **esto**. El inocente humano ha dejado que **Aliento Repugnante** salga afuera y se aleje de su último crimen.

Pero Diego ha olvidado las **tentaciones** que hay en el jardín. Monty no puede evitar cavar unos agujeros horribles o aullar a un volumen ensordecedor.

Pero estos son pequeños problemas en comparación con la regla que la bestia está a punto de romper...

La bola sucia de pelo está buscando por todas partes al gato que *piensa* que es su amigo.

Te presento a Don Famoso, el gato arrogante del vecino.

NOMBRE:
Don Famoso

COMIDA PREFERIDA: *caviar, solomillo y trufas*

COLOR DE PELAJE: *castaño con reflejos rubios y rojizos*

TAMAÑO: *pequeño y peligroso*

CÓMO SE HIZO FAMOSO DON
FAMOSO

Nació con un pelaje naturalmente sedoso, largos bigotes y una cola expresiva.

Le dedicaron una estrella en el Paseo de los Famosos de Hollywood.

Lo fichó un agente de Hollywood.

Vendió comida de gato en un anuncio del Súper Tazón.

Actuó en una película de gran éxito.

Claramente, Don Famoso está en una liga superior a la de Monty.

Cuando ese **saco peludo de pulgas** le sugiere a la celebridad del vecindario que juegue a perseguirse la cola como si fuera un tonto, Don Famoso lo mira como si estuviera loco.

108

Monty quiere jugar, pero Don Famoso solo quiere presumir y acicalarse.

¿Acaso Monty entiende la indirecta?
No, ni siquiera cuando Don Famoso
ignora sus trucos...

no presta atención a sus bailes...

y desprecia
sus predicciones.

¿Pero qué es esto? El truco
de los Bolos de Fuego parece
haber causado una reacción en
nuestra pequeña celebridad.

Desafortunadamente, esconderse en la copa de un árbol no es la reacción que Monty esperaba.

¡Ja ja! Los vecinos se van a poner furiosos cuando vean que el perro chucho ha asustado a su talentoso gato. **¡Qué día más feliz!** El sol brilla y las abejas zumban para celebrar la inevitable desaparición de Monty.

BUZZZZZZZ

POR QUÉ LAS ABEJAS SON LAS MEJORES AMIGAS DE LOS PÁJAROS

Las abejas pueden volar
y nunca apestan la casa.
Mejor aun, al parecer
sienten lo mismo que yo
por Monty. Mira como pican
al zoquete de cuatro patas.
¡Cuidado, Monty!

¡Estupendo! ¡La picadura de la abeja ha hecho que Monty pierda la cabeza! ¡Sale disparado como un cohete! Ya veo en su futuro un pasaje sin retorno a las afueras de Perrilandia. ¡Es hora de avisar al humano peludo!

¿Pero qué es esto? ¡Don Famoso se va a subir a la bolsa de pulgas! ¿Es posible que Monty salve al gato? **¡No puede ser cierto!**

¡Qué mala suerte! El entrenador llega justo en el momento equivocado. ¡En lugar de un **desastre** se encuentra con un **rescate**!

Capítulo 9

A TODO PERRO LE LLEGA SU DÍA

¡Qué mundo más injusto! Está claro que Monty no sirve para nada. Debería haber desaparecido hace mucho tiempo.

¡Deportado por comerse el pastel de carne!

¡Expulsado por destrozar el sofá!

¡Desalojado por comerse los pantalones!

¡Echado por aterrorizar al gato!

Pero de alguna manera, ¡ese miserable chucho siempre consigue que lo perdonen y lo premien!

121

¡Monty es un bruto!

¡Monty es un grosero!

¡Yo soy superior!

¡Monty es inferior!

¡Es malvado!

ESOS GRAZNIDOS ME DAN DOLOR DE CABEZA. ¡NO SOPORTO MÁS A ESE PÁJARO!

¡Es un monstruo!

¡Debe DESAPARECER!

RO... TENEMOS QU...
R QUE ESTE PÁJAR...
...TE BIEN. CADA VE...
...E DOY LA VUELTA...
...A GRAZNAR...
...GR... ...GO DERECHO...
...TENE... ...OCO DE PAZ...
...UILIDAD E... MI PROPIA CASA...
...LO QUIERO... DISFRUTAR DE M...
...ELICIOSO... ...TEL DE CARN...
...N TENER A... E BICHARRAC...
...CHILLANDO... ...PORTÁNDOS...
COMO UN... ...NÁTICO. ESTO...

¡CIELOS! ¡El peludo acaba de decir la palabra "desaparecer"!

Pero su dedo me señala...

¿A MÍ?

¿Yo? ¿Desaparecer? ¿Cómo puede ser? ¿Qué puedo haber hecho para merecer un destino tan horrible?

Dulce lector, Monty puede correr libremente por la casa y a mí, el fiel amigo de la familia Calleja, me han exiliado como castigo. Se han invertido los papeles. ¡Qué día más malo!

HERRAMIENTAS DE DIEGO PARA ENSEÑAR NUEVOS TRUCOS A UN PERRO CHUCHO

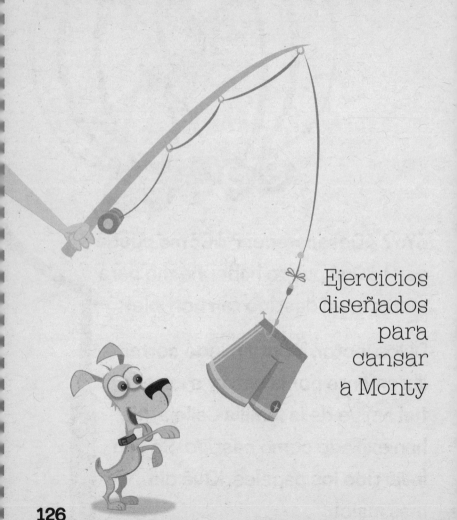

Ejercicios diseñados para cansar a Monty

Comida de perro con aroma a pastel de carne

Cómoda casita en el jardín para Monty, para cuando la familia necesita un descanso

¡FIN!*

* ¡No, no lo es! ¡Algún día volveré y le daré a ese chucho feo
lo que se merece! ¡No pienso rendirme! Ya lo verás.